C000090615

Yoga

plan de vida vegetariana con más de 50 recetas

Emma Santos

Reservados todos los derechos.

Descargo de responsabilidad

La información contenida en este documento está destinada a servir como una colección completa de estrategias que el autor de este libro electrónico ha investigado. Los resúmenes, estrategias, consejos y trucos son solo consejos del autor y la lectura de este libro electrónico no garantiza que sus resultados reflejen con precisión los hallazgos del autor. El autor del libro electrónico ha hecho todos los esfuerzos razonables para proporcionar información precisa y actualizada a los lectores del libro electrónico. El autor y sus asociados no serán responsables de los errores u omisiones involuntarios que se puedan encontrar. El material del libro electrónico puede incluir información de terceros. Los materiales de terceros forman parte de las opiniones expresadas por sus respectivos propietarios. Como tal, el autor del libro electrónico no asume ninguna responsabilidad por el material o las opiniones de terceros. Debido al avance de Internet o cambios inesperados en la política de la empresa y las pautas para la presentación editorial, lo que se declara como un hecho al momento de escribir este artículo puede quedar desactualizado o inaplicable más adelante.

El libro electrónico tiene copyright © 2021 con todos los derechos reservados. Es ilegal redistribuir, copiar o crear trabajos derivados de este libro electrónico en su totalidad o en parte. Ninguna parte de este informe puede ser reproducida o retransmitida en forma reproducida o retransmitida de ninguna manera sin el permiso expreso por escrito del autor.

3

BOCADILLO

Pollo a la soja con piruleta

Rinde 4 porciones Tiempo de preparación: 10 minutos, más 3-4 horas para marinar Tiempo de cocción: 20 minutos

Ingredientes

- 2 cucharadas de pasta de jengibre y ajo
- 4 cucharadas de harina para todo uso
- 4 cucharadas de harina de maíz
- 3 cucharadas de salsa de soja
- 1 cucharadita de chile rojo en polvo
- 1 cucharadita de azucar
- 1/2 cucharada de vinagre blanco
- Agua, según sea necesario
- 8-10 muslos de pollo pequeños o alitas de pollo, sin piel
- 11/2 tazas de aceite vegetal

Direcciones

En un tazón grande, combine la pasta de jengibre y ajo, la harina para todo uso, la harina de maíz, la salsa de soja, el chile rojo en polvo, el azúcar y el vinagre. Agregue suficiente agua para obtener una consistencia fina y suave. Agrega el pollo y refrigera de 3 a 4 horas.

En una sartén profunda, caliente de 5 a 6

cucharadas de aceite vegetal. Agregue algunos trozos de pollo al aceite y fríalos hasta que estén crujientes. Si el aceite comienza a salpicar, puede cubrir la sartén con un protector contra salpicaduras o una tapa. Continuar hasta que todas las piezas estén cocidas. Deseche cualquier adobo restante.

Retire los trozos de pollo y colóquelos sobre una toalla de papel para escurrir el exceso de aceite. Servir inmediatamente.

Pollo Achari con yogur

Rinde 4 a 5 porciones Tiempo de preparación: 10 minutos Tiempo de cocción: 30 a 35 minutos

También puede sustituir el pollo con cordero con queso indio o papas en esta receta; simplemente ajuste los tiempos de cocción en consecuencia.

Ingredientes
- 2 cucharadas de aceite de mostaza o aceite vegetal
- 1/2 cucharadita de semillas de mostaza negra
- 1/2 cucharadita de semillas de hinojo silvestre (también llamadas semillas de nigella) 2 chiles rojos secos
- 1/4 de cucharadita de semillas de fenogreco
- 1 cucharada de pasta de jengibre y ajo
- 8 muslos de pollo sin piel
- 1/2 cucharadita de chile rojo en polvo
- 1/4 de cucharadita de cúrcuma en polvo
- Sal de mesa, al gusto
- 1 taza de yogur natural 1 taza de agua
- Jugo de 1/2 limón

Direcciones
En una sartén grande, caliente el aceite hasta que esté casi humeante. Reduce el fuego a medio. Agregue rápidamente las semillas de mostaza y

nigella, los chiles rojos y las semillas de fenogreco. Freír durante unos 30 segundos o hasta que las semillas empiecen a cambiar de color y suelten su aroma.

Agregue la pasta de jengibre y ajo y saltee por otros 10 segundos. Agregue el pollo y saltee durante unos 2 minutos. Reduzca el fuego a medio. Agregue el chile rojo, la cúrcuma en polvo y la sal; sofría hasta que el pollo esté bien dorado por todos lados.

Agrega el yogur y mezcla bien. Agregue aproximadamente 1 taza de agua. Reduzca el fuego a bajo, tape la sartén y cocine de 20 a 25 minutos o hasta que el pollo esté cocido y la grasa comience a salir a la superficie. Agrega el jugo de limón y cocina por 1 minuto más. Servir caliente.

Bocaditos de pepino y quimbombó crujiente especiado

Para 4 porciones Tiempo de preparación: 10 minutos Tiempo de cocción: 15 minutos

Para una presentación espectacular, cree un "nido" con la okra y anida camarones a la parrilla o pollo Tikka en él.

Ingredientes
- 11/2 libras de okra, enjuagada y seca
- 1 pepino grande
- 1 cucharadita de chile rojo en polvo
- 1/2 cucharadita de mezcla de especias tibias
- cucharadita de mango seco en polvo
- 31/2 cucharadas de harina de garbanzo
- tazas de aceite vegetal
- 1 cucharadita de Chaat Spice Mix
- Sal de mesa, al gusto

Direcciones
Retire los tallos de la okra. Corta cada pieza a lo largo en 4 piezas. Coloque los trozos en un plato grande y plano; dejar de lado. Cortar el pepino en rodajas

En un tazón pequeño, mezcle el chile rojo en polvo, la mezcla de especias y el mango seco en polvo. Espolvorea esta mezcla sobre la okra. Mezcle bien para asegurarse de que todas las piezas estén cubiertas con el polvo de especias. Espolvorea la harina de garbanzo sobre la okra. Vuelva a mezclar para asegurarse de que cada pieza esté cubierta de manera ligera y uniforme.

En una sartén profunda, agregue el aceite vegetal hasta aproximadamente 1 pulgada de profundidad. Calentar el aceite a fuego alto hasta que humee, unos 370 °. Reduce el fuego a medio-alto. Agregue un poco de okra y fríalo hasta que esté bien dorado, aproximadamente 4 minutos. Retirar con una espumadera y colocar sobre una toalla de papel para escurrir. Continúe hasta que toda la okra esté frita. Deje que el aceite vuelva a su punto humeante entre lotes.

Espolvoree la mezcla de especias sobre la okra y el pepino. Mezcle bien y sazone con sal. Servir inmediatamente.

Albóndigas con sabor a fenogreco

Para 4 porciones Tiempo de preparación: 10 minutos Tiempo de cocción: 10 minutos Sirva estas albóndigas del tamaño de un bocado con salsa picante de menta y cilantro

Ingredientes
- 1/2 libra de cordero magro molido
- 1 cebolla pequeña picada
- cucharada de hojas secas de fenogreco
- 1/4 de cucharadita de pasta de jengibre y ajo
- cucharaditas de mezcla de especias calientes
- cucharaditas de jugo de limón fresco
- Sal de mesa, al gusto
- 2 cucharadas de aceite vegetal
- Aros de cebolla morada, para decorar

Direcciones

Precaliente el horno a 500 ° o encienda el asador.

En un tazón, combine todos los ingredientes excepto el aceite y los aros de cebolla morada. Mezclar bien con las manos.

Divida la mezcla en 8 partes iguales y forme bolas. Con una brocha de repostería, unte las albóndigas con el aceite. Coloque todas las albóndigas en una bandeja para hornear en una sola capa.

Coloque la bandeja para hornear debajo de una parrilla caliente o en el horno y cocine durante 8 a 10 minutos, volteándola con frecuencia hasta que las albóndigas estén bien doradas por todos lados y la carne esté completamente cocida.

Adorne con aros de cebolla morada y sirva caliente.

Queso Indio Manchuriano

Para 4 personas
Tiempo de preparación: 5 minutos
Tiempo de cocción: 10 minutos.

Estos aperitivos son tan sabrosos en sí mismos que no necesitan salsa para mojar.

Ingredientes
- 11/2 cucharadas de harina de arroz o harina de maíz
- 11/2 cucharadas de harina para todo uso
- 1/4 de cucharadita de pimienta blanca en polvo
- 1/4 cucharadita de sal de mesa
- 1 cucharadita de pasta de jengibre y ajo
- Agua según sea necesario, a temperatura ambiente.
- Aceite vegetal para freír
- 1/2 libra de queso indio, cortado en cubitos

Direcciones

Combine la harina de maíz, la harina para todo uso, la pimienta, la sal y la pasta de jengibre y ajo en un tazón mediano. Mezcle bien y agregue suficiente agua fría para hacer una masa fina. (Unas pocas cucharadas de agua deberían ser suficientes, pero agregue más si es necesario).

En una sartén profunda, caliente de 1 a 2 pulgadas de aceite vegetal a 370 ° en un termómetro para freír. Para probar la temperatura, puede agregar una gota de la masa; si sube a la cima inmediatamente, su aceite está listo para usar.

Sumerja algunos trozos de queso indio en la masa, volteándolos para cubrir todos los lados; agregar al aceite caliente. Freír hasta que estén doradas (dándoles la vuelta en aceite para evitar que se peguen).

Retirar el queso del aceite con una espumadera y escurrir sobre toallas de papel. Deja que el aceite vuelva a temperatura y continúa este proceso hasta que todo el Queso Indio esté frito. Servir caliente.

Batatas con Semillas de Tamarindo y Comino

Para 4 personas
Tiempo de preparación: 10 minutos
Tiempo de cocción: Ninguno

Sirva esto con lima fresca

Ingredientes

- 4 batatas pequeñas
- 11/2 cucharadas de tamarindo
- Chatney
- 1/4 cucharadita de sal negra
- 1 cucharada de jugo de limón fresco
- 1/2 cucharadita de semillas de comino, tostadas y machacadas

Direcciones

Pele las batatas y córtelas en cubos de 1/2 pulgada. Cocine en agua con sal para cubrir de 5 a 8 minutos o hasta que esté tierno con un tenedor. Escurrir y dejar enfriar.

Ponga todos los ingredientes en un bol y revuelva suavemente. Coloque las batatas en porciones iguales en 4 tazones. Introduzca unos palillos en las batatas en cubos y sirva.

Buñuelos picantes de camarones

Para 4 personas
Tiempo de preparación: 15 minutos
Tiempo de cocción: 10 minutos.

Estos camarones en mariposa son perfectos con cócteles o como entrada para un almuerzo ligero de verano.

Ingredientes
- 1 libra de camarones, sin cola y desvenados
- 1 cucharadita de cúrcuma en polvo
- 1 cucharadita de chile rojo en polvo
- 1 chile verde serrano, sin semillas y picado
- 1 cucharada de jengibre fresco rallado
- 1 cucharada de dientes de ajo frescos picados
- cucharada de jugo de limón fresco
- Sal de mesa, al gusto
- huevos batidos
- cucharadas colmadas de harina para todo uso
- Aceite vegetal para freír

Direcciones

Marque los camarones y reserve.

En un tazón poco profundo, combine la cúrcuma, el chile rojo en polvo, el chile verde, el jengibre, el ajo, el jugo de limón y la sal; mezclar bien.

Coloque los huevos en un segundo plato. Coloque la harina en un plato poco profundo.

Cubra cada camarón con la mezcla de especias, luego sumérjalo en el huevo y luego cúbralo con la harina. Continúe hasta que todos los camarones estén cubiertos. Deseche los huevos y la harina restantes.

Calentar el aceite vegetal en una freidora o sartén profunda a 350 °. Fríe los camarones, unos pocos a la vez, hasta que estén dorados. Retirar con una espumadera y escurrir sobre toallas de papel. Servir caliente.

Bocaditos de pollo con jengibre

Para 4 personas
Tiempo de preparación: 5 minutos, más al menos 5-6 horas para marinar
Tiempo de cocción: 15 minutos.

Un plato bastante suave, sírvalo con pan de espinacas y ensalada de zanahoria y tomate.

Ingredientes
- taza de yogur Hung
- cucharadas de jengibre rallado
- 1 cucharadita de jugo de limón fresco
- cucharada de aceite vegetal
- 1/2 cucharadita (o al gusto) de chile rojo en polvo
- Sal de mesa, al gusto
- 11/2 libras de pechuga de pollo deshuesada y sin piel, en cubos
- cucharadas de mantequilla derretida
- Rodajas de limón, para decorar

Direcciones
En un tazón o una bolsa de plástico con cierre, combine el yogur, el jengibre rallado, el jugo de limón, el aceite, el chile rojo en polvo y la sal; mezclar bien. Agrega los cubos de pollo. Deje marinar, tapado y refrigerado, de 5 a 6 horas o, preferiblemente, durante la noche.

Precaliente el horno a 425 °.

Enhebre el pollo en brochetas y rocíelo con la mantequilla derretida. Coloque el pollo en una bandeja para hornear forrada con papel de aluminio y hornee durante unos 7 minutos. Dar la vuelta una vez y rociar con la mantequilla restante. Hornee por otros 7 minutos o hasta que se doren y los jugos salgan claros. Sirva caliente, adornado con rodajas de limón.

Chaat Queso Tikka Especiado

Para 4 personas
Tiempo de preparación: 10 minutos, más 1 hora para marinar
Tiempo de cocción: 8 minutos.

Intente sustituir el tofu en lugar del queso indio (paneer) para obtener un sabor diferente.

Ingredientes
- 1 taza de yogur natural
- 1 cucharada de aceite vegetal
- 1/2 cucharadita de cúrcuma en polvo
- 1 cucharadita de mezcla de especias tibias
- 1/4 cucharadita de comino en polvo
- cucharadita de pasta de jengibre y ajo
- Sal de mesa, al gusto
- tazas de queso indio, en cubos (aproximadamente 3/4 por 1/2 pulgada)
- 1 cebolla, en cuartos y en capas separadas
- 1 cucharada de aceite vegetal
- 1 cucharadita de Chaat Spice Mix

Direcciones
En un tazón, combine el yogur, el aceite vegetal, la cúrcuma en polvo, la mezcla de especias, el comino en polvo, la pasta de jengibre y ajo y la sal; mezclar bien.

Agregue el queso indio y las cebollas a la marinada, cubra y refrigere durante aproximadamente 1 hora.

Precalienta el asador. Pase el queso y la cebolla alternativamente en las brochetas. Ase a unas 4 pulgadas del fuego durante 5 a 8 minutos o hasta que esté listo, volteando y rociando una vez con aceite. Cuando las cebollas comiencen a carbonizarse por los lados, el Paneer Tikka estará listo.

Sirva caliente, espolvoreado con Chaat Spice Mix y acompañado de verde.

Pollo Hung Tandoori

Para 4 personas
Tiempo de preparación: 5 minutos, más 5-6 horas
para marinar
Tiempo de cocción: 15 minutos.

La ensalada de cebolla punjabi y el chutney de
menta y cilantro complementan muy bien este plato.

Ingredientes
- 3/4 taza de yogur Hung
- 1 cucharada de pasta de jengibre y ajo
- 1 cucharadita de jugo de limón fresco
- 1 cucharada de aceite vegetal
- 1/2 cucharadita, o al gusto, chile rojo en polvo
- Sal de mesa, al gusto
- 1/2 cucharadita de mezcla de especias Tandoori
- 1/4 cucharadita de mezcla de especias tibias
- libra de pechugas de pollo deshuesadas y sin piel, en cubos
- cucharadas de mantequilla derretida, para rociar rodajas de limón, para decorar

Direcciones

Para hacer la marinada, combine el yogur Hung, la

pasta de jengibre y ajo, el jugo de limón, el aceite, el chile rojo en polvo, la sal y las mezclas de especias en un tazón para mezclar; mezclar bien. Agrega los cubos de pollo. Cubra y deje marinar en el refrigerador de 5 a 6 horas o durante la noche. Caliente el horno a 400 °

Enhebre el pollo en brochetas y rocíelo con la mantequilla derretida. Coloque el pollo en una bandeja para hornear y ase en el horno caliente durante unos 5 minutos. Dar la vuelta una vez y rociar con la mantequilla restante.

Ase durante otros 10 minutos o hasta que se doren y los jugos salgan claros.

Sirva caliente, adornado con rodajas de limón.

Rollos de camarones portugueses

Para 4 personas
Tiempo de preparación: 20 minutos
Tiempo de cocción: 15 minutos.

Utilice pan rallado fresco para obtener los mejores resultados. También puede usar puré de papas envasado como atajo para hacer este plato.

Ingredientes

- 2 patatas pequeñas
- libra de camarones, pelados y desvenados
- 1/2 cucharadita de cúrcuma en polvo
- Sal de mesa, al gusto
- 1/2 taza de agua
- Chiles verdes serranos, sin semillas y picados
- cucharadita de ajo picado
- huevos, batidos
- 1 taza de pan rallado fresco
- Aceite vegetal para freír

Direcciones

Pelar y cortar las patatas en dados de 11/2 pulgadas. Hervir en agua durante unos 8 minutos o hasta que estén tiernos. Apartar.

En una sartén profunda, combine los camarones, la

cúrcuma en polvo, la sal y el agua. Cocine a fuego lento hasta que los camarones se vuelvan opacos. Escurre el agua y deja los camarones a un lado. Pica los camarones en trozos grandes y machaca las patatas. En un tazón, combine los camarones, las papas, los chiles verdes y el ajo; mezclar bien y formar bolas. Deberías conseguir unas 12 bolas.

Coloque los huevos en un bol y coloque el pan rallado en otro bol poco profundo.

En una freidora o sartén profunda, caliente el aceite vegetal a 350 °. Tome cada rollo de camarones, sumérjalo en los huevos y luego enróllelo ligeramente en el pan rallado. Freír, 2 a la vez, hasta que estén doradas. Retirar del aceite con un
cuchara ranurada y escurrir sobre toallas de papel. Servir caliente.

Pollo con chile chino-indio

Para 4 porciones Tiempo de preparación: 10 minutos, más 3 horas para marinar Tiempo de cocción: 15 minutos

Este plato tiene un gran impacto, así que asegúrese de tener algo frío y dulce cerca, como Fresh Lime Soda

Ingredientes

- 2 cucharadas de pasta de jengibre y ajo
- 21/2 cucharadas de salsa de soja
- 1 cucharada de vinagre
- cucharadita de chile rojo en polvo
- 1/2 cucharadita de azucar
- 1/2 cucharadita de sal de mesa
- chiles verdes serranos frescos, sin semillas y picados
- 1-2 gotas de colorante rojo, opcional
- libra de pollo deshuesado y sin piel, en cubos
- cucharadas de aceite vegetal

Direcciones

Para hacer la marinada, combine la pasta de jengibre y ajo, la salsa de soja, el vinagre, el chile rojo en polvo, el azúcar, la sal, los chiles verdes y el colorante rojo para alimentos (si lo desea) en un tazón para mezclar o en una bolsa de plástico sellable. Agregue los trozos de pollo y mezcle bien. Cubra y deje marinar en el refrigerador durante aproximadamente 3 horas.

Caliente el aceite en una sartén grande a fuego alto. Agregue los trozos de pollo marinado, sacudiendo el exceso de adobo. Deseche cualquier adobo restante. Sofría durante unos 5 a 7 minutos, hasta que el pollo esté bien cocido. Puede agregar 1 o 2 cucharadas de agua si la mezcla comienza a pegarse o secarse. Retírelo del calor. (Dependiendo del tipo de pollo que seleccione, sus tiempos de cocción pueden variar levemente).

Para servir, coloque porciones iguales de pollo en 4 platos de aperitivo. Servir caliente.

ENSALADAS

Ensalada De Verduras Picante

Para la ensalada de verduras se puede mezclar cualquier tipo de verdura o solo una. Pueden ser picadas o ralladas, al vapor o crudas.

Ingredientes

- mezcla picante - Caliente el aceite, agregue las semillas de mostaza, cuando revienten agregue las semillas de comino, luego las hojas de curry y asafétida
- Sal y azucar
- Jugo de limón / lima (no lo use si tiene tomate en la ensalada)
- Hojas de cilantro fresco: para el estilo occidental, puede usar perejil, eneldo, albahaca, rúcula, menta, etc.
- Coco rallado fresco
- Cacahuete tostado en polvo o cacahuetes tostados enteros
- Yogur

Direcciones

Corte las verduras frescas y cocine al vapor si es necesario.

Agrega cualquier otro ingrediente al gusto.
Agregue la mezcla picante básica al final. (en una

sartén aparte caliente el aceite y agregue las
especias, luego agregue la mezcla a las verduras)

Mezclar todo y servir.

Ensalada de remolacha y tomate

Esta es una de las ensaladas más populares del ashram.

Ingredientes

- 1/2 taza de tomates frescos, picados
- 1/2 taza de remolacha cocida, picada
- 1 cucharada de aceite vegetal
- 1/4 cucharada de semillas de mostaza
- 1/4 cucharada de semillas de comino
- Pizca de cúrcuma
- 2 pizcas de asafétida
- 4-5 hojas de curry
- Sal al gusto
- Azúcar al gusto
- 2 cucharadas de cacahuete en polvo
- Hojas de cilantro picadas frescas

Direcciones

Caliente el aceite y luego agregue las semillas de mostaza.

Cuando reviente agregue el comino, luego la cúrcuma, las hojas de curry y asafétida.

Agregue la mezcla de especias a la remolacha y el tomate junto con el maní en polvo más sal, azúcar y hojas de cilantro al gusto.

Ensalada de col y granada

Ingredientes
- 1 taza de repollo rallado
- ½ granada
- ¼ de cucharada de semillas de mostaza
- ¼ de cucharada de semillas de comino
- 4-5 hojas de curry
- Pellizcar asafétida
- 1 cucharada de aceite
- Sal y azucar al gusto
- Jugo de limon al gusto
- Hojas de cilantro fresco

Direcciones

Retire las semillas de la granada.

Mezclar granada con repollo.

Caliente el aceite en una sartén y agregue las semillas de mostaza. Cuando revienten agregue las semillas de comino, las hojas de curry y asafétida. Agregue la mezcla de especias al repollo.

Agrega azúcar, sal y jugo de limón al gusto. Mezclar bien.

Adorne con cilantro si lo desea.

Ensalada de zanahoria y granada

Ingredientes

- 2 zanahorias ralladas
- $\frac{1}{2}$ granada
- $\frac{1}{4}$ de cucharada de semillas de mostaza
- $\frac{1}{4}$ de cucharada de semillas de comino
- 4-5 hojas de curry
- Pellizcar asafétida
- 1 cucharada de aceite
- Sal y azucar al gusto
- Jugo de limón - al gusto
- Hojas de cilantro fresco

Direcciones

Retire las semillas de la granada.

Mezclar granada con zanahoria.

Caliente el aceite en una sartén y agregue las semillas de mostaza. Cuando revienten agregue las semillas de comino, las hojas de curry y asafétida. Agrega la mezcla de especias a la zanahoria.

Agrega azúcar, sal y jugo de limón al gusto. Mezclar bien.

Adorne con cilantro si lo desea.

Ensalada de pepino y maní

Ingredientes

- 2 pepinos, pelados y picados
- Azúcar y sal al gusto
- 2-3 cucharadas de maní tostado en polvo, o al gusto
- 1 cucharada de aceite
- 1/8 cucharada de semillas de mostaza
- 1/8 cucharada de semillas de comino
- Pellizcar asafétida
- 4-5 hojas de curry
- Jugo de limón - al gusto

Direcciones

Calienta el aceite en el sarten. Agrega las semillas de mostaza. Cuando revienten agregue las semillas de comino, asafétida y hojas de curry.

Agrega la mezcla de especias a los pepinos.

Agrega sal, azúcar y limón al gusto.

Agrega el cacahuete en polvo y mezcla bien.

Ensalada de pepino, tomate y yogur

Ingredientes
- 2 pepinos - Cortado
- 1 tomate - Cortado
- 2 cucharadas de yogur natural
- 2 cucharadas de maní tostado en polvo
- Sal y azucar al gusto
- 1 cucharada de aceite
- $\frac{1}{4}$ de cucharada de semillas de mostaza
- $\frac{1}{2}$ cucharada de semillas de comino
- 4-5 hojas de curry
- Pellizcar asafétida
- Cilantro fresco

Direcciones

Mezcle el pepino, el tomate y el yogur.

En una sartén aparte calentar el aceite y agregar las semillas de mostaza. Cuando revienten agregue las semillas de comino, las hojas de curry y asafétida.

Mezcle la mezcla de especias con la mezcla de pepino.

Agrega el cacahuete en polvo, la sal, el azúcar y el yogur.

Adorne con hojas de cilantro.

Ensalada de ayuda para la resaca

- 3 tazas de verduras picadas
  (lechuga romana o iceberg,
  espinacas o una combinación)
- $\frac{1}{4}$ de bulbo de hinojo, en rodajas
  finas
- $\frac{1}{2}$ taza de tomates cherry o uva,
  cortados por la mitad o en cuartos
- $\frac{1}{2}$ taza de floretes de brócoli
  cocidos picados
- $\frac{1}{2}$ taza de remolacha picada
- 1 a 2 cucharadas de aceite de oliva
  virgen extra
- Jugo de $\frac{1}{2}$ limón

En un tazón grande, mezcle las verduras, el hinojo,
los tomates, el brócoli y la remolacha. Mezcle con
aceite de oliva y jugo de limón.

Lanzamiento de pasta

- 1 paquete (16 onzas) de pasta de su elección
- 1 cucharada de aceite de oliva extra virgen
- 2 dientes de ajo picados
- 1 lata (14 onzas) de corazones de alcachofa, escurridos y picados
- 1 taza de tomates cherry o uva, cortados por la mitad
- Pimienta negra recién molida, al gusto

Trae una gran olla con agua para hervir. Agregue la pasta y cocine de acuerdo con las instrucciones del paquete. Mientras se cocina la pasta, caliente el aceite en una sartén grande a fuego medio. Agrega el ajo y calienta por 1 minuto. Agregue las alcachofas y los tomates y cocine hasta que estén suaves, aproximadamente 7 minutos. Cuando la pasta esté cocida, escurrir y agregar directamente a la sartén. Mezcle con verduras y sazone con pimienta negra, si lo desea.

Ensalada Crushin 'It

- 3 tazas de espinacas tiernas
- 1 pimiento rojo picado
- 1 taza de floretes de brócoli al vapor
- $\frac{1}{2}$ tomate, cortado en cubitos
- 1 lata (3 onzas) de atún blanco empacado en agua
- 2 cucharadas de semillas de calabaza
- 2 cucharadas de nueces
- 2 cucharadas de aceite de oliva virgen extra
- 1 cucharada de vinagre balsámico

Coloque todos los ingredientes de la ensalada en un tazón grande. Mezcle con aceite de oliva y vinagre.

Ensalada de calabaza y yogur

Ingredientes

- 2 tazas de calabaza, picada en trozos de una pulgada
- 1 cucharada de aceite
- 1 - 2 cucharadas de maní tostado en polvo
- $\frac{1}{2}$ cucharada de semillas de mostaza
- $\frac{1}{2}$ cucharada de semillas de comino
- 4-5 hojas de curry
- 2 cucharadas de yogur natural
- Cilantro fresco - al gusto
- Sal y azucar al gusto

Direcciones

Hervir o cocinar al vapor la calabaza. Fresco. Triturar si lo desea.

Calentar el aceite y agregar las semillas de mostaza. Cuando revienten agregue las semillas de comino y las hojas de curry.

Agregue la mezcla de especias a la calabaza enfriada.

Agrega el yogur, la sal, el azúcar y el maní en polvo. Mezcla

Adorne con cilantro.

Ensalada de rábano Daikon

Ingredientes
- 2 rábanos
- 3 cucharadas de chana dal asado
- Limón al gusto o yogur
- 1/2 cucharada de semillas de comino en polvo
- Azúcar al gusto
- Hojas de cilantro fresco
- Sal al gusto

Direcciones

Rallar el rábano finamente, incluidas las puntas verdes.

Agrega todos los ingredientes y mezcla bien.

Adorne con cilantro.

Ensalada De Calabaza Cruda

Ingredientes

- 1 taza de calabaza rallada
- $\frac{1}{4}$ de cucharada de semillas de mostaza
- $\frac{1}{4}$ de cucharada de semillas de comino
- 4-5 hojas de curry
- Pellizcar asafétida
- 1 cucharada de aceite
- Sal y azucar al gusto
- Hojas de cilantro fresco

Caliente el aceite en una sartén y agregue las semillas de mostaza. Cuando revienten agregue las semillas de comino, las hojas de curry y asafétida. Agregue la mezcla de especias a la calabaza rallada.

Agregue azúcar, sal al gusto.

Adorne con cilantro si lo desea.

Ensalada De Fenogreco Y Tomate

Ingredientes

- 1 tomate, picado
- ¼ de taza de hojas de fenogreco, picadas (si no las encuentra, sustitúyalas por más espinacas, rúcula o lechuga)
- ½ taza de hojas de espinaca - Cortado
- ¼ de cucharada de semillas de mostaza
- ¼ de cucharada de semillas de comino
- 4-5 hojas de curry
- Pellizcar asafétida
- 1 cucharada de aceite
- Sal y azucar al gusto
- 2 cucharadas de maní tostado en polvo
- Hojas de cilantro fresco

Direcciones

Mezclar el tomate, las hojas de fenogreco y las espinacas.

Caliente el aceite en una sartén y agregue las semillas de mostaza. Cuando revienten agregue las semillas de comino, las hojas de curry y asafétida. Agregue la mezcla de especias a la mezcla de tomate.

Agregue azúcar, sal y maní en polvo.

Adorne con cilantro si lo desea.

Ensalada de tomate y maní

Ingredientes

- 2 tomates - Cortado
- $\frac{1}{4}$ de cucharada de semillas de mostaza
- $\frac{1}{4}$ de cucharada de semillas de comino
- 4-5 hojas de curry
- 1/2 cucharada de aceite
- Sal y azucar al gusto
- 1-2 cucharadas de maní tostado en polvo
- Yogur - si lo desea
- Hojas de cilantro fresco

Direcciones

Caliente el aceite en una sartén y agregue las semillas de mostaza. Cuando revienten agregue las semillas de comino y las hojas de curry. Agregue la mezcla de especias al tomate.

Agrega azúcar y sal al gusto. Agregue el polvo de maní tostado.

Adorne con cilantro y yogur si lo desea.

SOPAS

Sopa de papa solsticio

Esta receta hace que la sangre sea ligeramente alcalina, lo que promueve el equilibrio mental.

Ingredientes:
- 1 cuarto de papas en rodajas 1 cuarto de apio en rodajas
- cuarto de cebolla en rodajas
- 1/8 taza de ajo picado crudo
- 1/8 taza de aceite de cocina
- 1 cucharada de chile en polvo
- 1 cucharada de cúrcuma
- 1 cucharada de comino
- 1 cucharada de cilantro pizca de cayena
- Sal

Direcciones:
Coloque las verduras en una olla grande con las papas en el fondo. Llenar con agua y agregar sal. Deje hervir y cocine hasta que las verduras estén tiernas. Mientras tanto, saltee el chile en polvo, la cúrcuma, el comino, el cilantro y la pimienta de cayena en el aceite de cocina y luego agregue a la sopa. Agregue el ajo al final antes de servir.

Sopa de remolacha

Ingredientes

- 1 remolacha grande
- 1 taza de agua
- 2 pizcas de comino en polvo
- 2 pizcas de pimienta
- 1 pizca de canela
- 4 pizcas de sal
- Exprimido de limón
- ½ cucharada de ghee

Direcciones

Hervir la remolacha y luego pelarla.

Mezclar con el agua y filtrar si se desea.

Hierva la mezcla, luego agregue los ingredientes
restantes y sirva.

Sopa de suero de leche y garbanzos

Ingredientes
- 3 tazas de suero de leche
- 1/2 taza de harina de garbanzo
- 5-6 hojas de curry
- 2 dientes
- 1/8 cucharada de cúrcuma
- 1/4 cucharada de comino
- $\frac{1}{8}$ cucharada de asafétida
- 1 cucharada de jengibre rallado
- Sal al gusto

Direcciones

Mezcle el suero de leche y la harina de garbanzo hasta que no queden grumos.

Calentar el aceite y agregar comino, asafétida, hojas de curry, clavo y cúrcuma.

Agregue el jengibre y la sal y cocine por un minuto.

Agregue la mezcla de especias a la mezcla de suero de leche y garbanzos. A fuego medio cocine la sopa. Cuando la sopa comience a subir y a hervir, la sopa estará lista.

Sopa Dal Mixta

Ingredientes

- 1/2 taza de dal (mung, toor, urid, garbanzo, lentejas rojas)
- 1 $\frac{1}{2}$ tazas de agua
- $\frac{1}{2}$ cucharada de cúrcuma
- 1 cucharada de aceite
- $\frac{1}{2}$ cucharada de semillas de mostaza
- $\frac{1}{2}$ cucharada de semillas de comino
- 5-6 hojas de curry
- $\frac{1}{2}$ cucharada de jengibre rallado
- $\frac{1}{2}$ cucharada de cilantro en polvo
- Pellizcar asafétida
- 1 tomate - Cortado
- Coco rallado fresco - Opcional
- Sal y azúcar moreno / azúcar moreno al gusto
- Cilantro fresco

Direcciones

Coloque el agua y el dal en una olla grande u olla a presión y agregue la cúrcuma. Llevar a ebullición y cocinar hasta que el dal esté suave.

En una sartén aparte caliente el aceite, agregue las semillas de mostaza, luego las semillas de comino, hojas de curry, jengibre, cilantro en polvo y asafétida. Agrega el tomate y sofríe durante 5 minutos.

Agrega la mezcla de tomate al dal. Agregue coco, sal y azúcar moreno al gusto.

Adorne con cilantro fresco y coco.

Sopa De Calabaza Batida

Ingredientes
- 6 tazas de caldo de pollo
- 1 $\frac{1}{2}$ cucharaditas de sal
- 4 tazas de puré de calabaza
- 1 cucharadita de perejil fresco picado
- 1 taza de cebolla picada
- $\frac{1}{2}$ cucharadita de tomillo fresco picado
- 1 diente de ajo picado
- $\frac{1}{2}$ taza de crema batida espesa
- 5 granos de pimienta negra enteros

Direcciones

En una olla colocar la calabaza y cubrir con agua. Hervir hasta que la calabaza esté blanda.

Mezcle la calabaza y el agua hasta que quede suave.

Agregue más agua si se requiere una sopa más diluida.

Agregue todas las especias y deje hervir.

Sirva con mantequilla, yogur y / o cebollino si lo desea.

Sopa de Calabaza Blanca y Coco

Ingredientes

- calabaza blanca de tamaño mediano, también conocida como calabaza
- semillas de comino
- hojas de curry
- Hojas de cilantro fresco
- Sal y azucar al gusto
- Coco al gusto

Direcciones

Hervir la calabaza y luego mezclar hasta obtener un líquido.

Mezcle la pulpa de calabaza y el agua (guardada de la ebullición) hasta obtener el grosor deseado.

Agregue semillas de comino y hojas de curry.

Agrega azúcar y sal al gusto. Llevar a ebullición.

Adorne con hojas frescas de cilantro y coco.

Sopa Entera De Mung

Ingredientes

- $\frac{1}{2}$ taza de frijoles mungo, enteros
- 1 taza de agua
- $\frac{1}{4}$ de cucharada de comino en polvo
- 4-6 gotas de limón
- $\frac{1}{2}$ cucharada de mantequilla / ghee - Opcional
- Sal al gusto

Direcciones

Remoje los frijoles mungo durante la noche o durante 10 horas.

Hervir los frijoles mungo en el agua o en una olla a presión (2 silbidos) hasta que estén tiernos.

Mezcle los frijoles mungo y el agua hasta que quede suave. Llevar a ebullición.

Agregue limón, comino en polvo, mantequilla / ghee y sal.

Salsa de carne

- 1 cucharada de aceite de oliva virgen extra
- 1 cebolla amarilla picada
- 2 dientes de ajo picados
- 1 zanahoria cortada en cubitos
- ½ libra de carne molida orgánica
- 2 latas (28 onzas) de tomates triturados
- 1 cucharadita de orégano
- Sal y pimienta para probar
- Una pizca de hojuelas de pimiento rojo (opcional)
- 1 paquete (12 onzas) de pasta de su elección

Caliente el aceite en una sartén grande a fuego medio. Agregue la cebolla, el ajo y las zanahorias y cocine hasta que las zanahorias estén blandas. Agregue la carne, partiéndola con el dorso de una cuchara de madera y cocine hasta que la carne ya no esté rosada. Agregue tomates, orégano, sal y pimienta al gusto, y hojuelas de pimiento rojo, si lo usa. Tape y deje hervir a fuego lento durante 15 a 20 minutos. Mientras se cocina la salsa, hierva una olla grande de agua. Agregue la pasta y cocine de acuerdo con las instrucciones del paquete. Cuando esté cocido, escurrir y agregar a la sartén con salsa. ¡Revuelva, sirva y disfrute!

Sopa De Coliflor Con Cúrcuma Dorada
Cuando nuestros chakras están desequilibrados, podemos experimentar una "enfermedad" en esa área del cuerpo, además de síntomas psicosomáticos relacionados como problemas de cadera, desequilibrios hormonales, problemas digestivos, afecciones cardíacas, mocos, dolores de cabeza o confusión mental. Gracias a ingredientes como raíces de vegetales molidos, canela sensual, cúrcuma potenciadora, verduras de hoja verde que expanden el corazón, espirulina rica en nutrientes y remolacha iluminadora, estas sopas son una deliciosa planta medicinal.

Ingredientes
- 6 tazas colmadas de floretes de coliflor
- 3 dientes de ajo, picados (o $\frac{3}{4}$ cucharada de asafétida para pitta)
- 2 cucharadas más 1 cucharada de aceite de semilla de uva, coco o aguacate, cantidad dividida
- 1 cucharada de cúrcuma
- 1 cucharada de comino molido
- $\frac{1}{8}$ cucharada de hojuelas de pimiento rojo triturado (omitir para pitta)
- 1 cebolla amarilla mediana o bulbo de hinojo, picados
- 3 tazas de caldo de verduras

- $\frac{1}{4}$ de taza de leche de coco entera, batida, para servir

Preparación

Calentar el horno a 450 °. En un tazón grande, mezcle la coliflor y el ajo con 2 cucharadas de aceite, hasta que estén bien cubiertos. Agregue cúrcuma, comino y hojuelas de pimiento rojo y revuelva para cubrir uniformemente. Extienda la coliflor en una bandeja para hornear en una sola capa y hornee hasta que esté dorada y tierna, de 25 a 30 minutos.

Mientras tanto, en una olla grande o en un horno holandés, caliente 1 cucharada de aceite restante a fuego medio. Agregue la cebolla y cocine de 2 a 3 minutos, hasta que esté transparente.

Cuando la coliflor esté horneada, retírela del horno. Reserve 1 taza para cubrir la sopa. Tome la coliflor restante y agregue a una olla mediana con cebolla y vierta el caldo de verduras. Llevar a ebullición, luego tapar y cocinar a fuego lento, 15 minutos.

Mezcle la sopa hasta obtener un puré suave con una licuadora de inmersión, o déjela enfriar y licúe en lotes con una licuadora normal.

Sirva cubierto con coliflor asada reservada y un chorrito de leche de coco.

Sopa picante de fideos con jengibre

Porciones: 5 personas

Tiempo de preparación 15 minutos

Hora de cocinar 20 minutos

Ingredientes
- 1/4 taza de aceite de sésamo
- 1 1/2 taza de tallos y verduras de pak choi, picados en trozos de 1 pulgada
- 1 pimiento rojo sin tallos, picado
- 12 puntas de judías verdes cortadas a la mitad
- 1 jalapeño sin semillas, sin tallos y picado
- 7 tazas de agua
- 1/2 cucharada de pasta de chile
- 1 taza de tamari
- 1/2 taza de jengibre picado
- 2 cucharadas de azúcar de coco
- 1/4 taza de jugo de lima
- 12 oz de tofu firme picado
- 1 1/4 de setas de haya recortadas
- 2 oz de fideos de arroz partidos en trozos de 1 pulgada
- 1/4 taza de cebolletas
- 2 cucharadas de cilantro picado

Direcciones

Caliente el aceite en una olla mediana no reactiva a fuego medio-alto hasta que hierva a fuego lento.

Agregue el pak choi, la pimienta, las judías verdes y el jalapeño. Saltee durante 10 minutos, revolviendo con frecuencia, hasta que las verduras se ablanden. Agregue agua, pasta de chile, tamari, jengibre, azúcar de coco y jugo de lima y cocine el caldo a fuego lento, revolviendo ocasionalmente. Agregue tofu, champiñones y fideos de arroz partidos. Lleve la sopa a fuego lento y baje el fuego. Cocine de 8 a 10 minutos, hasta que los fideos se ablanden. Retire la sopa del fuego y agregue las hierbas frescas. Espere dos minutos y sirva.

Sopa de inmunidad

30 minutos
Tiempo total 1 hora
Rinde 8 porciones (tamaño de la porción: 1 1/2 tazas)

Esta sopa fácil está llena de alimentos que estimulan el sistema inmunológico: col rizada rica en vitamina C, champiñones mejorados con vitamina D, pollo y garbanzos que contienen zinc y ajo lleno de antioxidantes. Además, el caldo caliente y humeante y una pizca de picante de pimienta hacen que se te corra la nariz, lo que es ideal para enjuagar los senos nasales y, potencialmente, prevenir una infección. Es una olla grande de caldo caldo que puede preparar con anticipación y disfrutar durante un par de días; el sabor mejora con el tiempo. Es posible que desconfíe de la gran cantidad de ajo, pero tenga en cuenta que se suaviza considerablemente después de cocinarlo. Aunque nos encanta usar pechugas de pollo con hueso aquí, también puede intercambiar 3 tazas de pechuga de pollo rostizado desmenuzada en un apuro (tenga en cuenta que agregará más sodio) ".

Ingredientes
- 2 cucharadas de aceite de oliva
- 1 1/2 tazas de cebolla picada
- 3 tallos de apio, en rodajas finas

- 2 zanahorias grandes, en rodajas finas
- 1 libra de champiñones mejorados con vitamina D previamente cortados en rodajas
- 10 dientes de ajo medianos, picados
- 8 tazas de caldo de pollo sin sal
- 4 ramitas de tomillo
- 2 hojas de laurel 1 lata (15 oz) de garbanzos sin sal, escurridos
- 2 libras de pechugas de pollo sin piel y con hueso
- 1 1/2 cucharaditas de sal kosher
- 1/2 cucharadita de pimiento rojo triturado
- 12 onzas de col rizada, sin tallos, hojas rotas

Direcciones

Caliente el aceite en un horno holandés grande a fuego medio.

Agrega la cebolla, el apio y las zanahorias; cocine, revolviendo ocasionalmente, 5 minutos. Agrega los champiñones y el ajo; cocine, revolviendo con frecuencia, durante 3 minutos. Agregue el caldo, el tomillo, las hojas de laurel y los garbanzos; llevar a fuego lento. Agrega el pollo, la sal y el pimiento rojo; cubra y cocine a fuego lento hasta que el pollo esté listo, aproximadamente 25 minutos.

Saca el pollo del horno holandés; enfriar un poco. Tritura la carne con 2 tenedores; desechar los huesos. Agrega el pollo y la col rizada a la sopa; tape y cocine a fuego lento hasta que la col rizada esté tierna, aproximadamente 5 minutos. Deseche las ramitas de tomillo y las hojas de laurel.

Nutrición

Calorías 253
Grasa 6.5g
Proteína 28g
Carbohidrato
22g de fibra

Panes

Pan frito

Poori

- 500 g de harina de trigo
- 1 cucharadita de cilantro seco en polvo
- 1/2 cucharadita de comino en polvo
- 1/2 cucharadita de cúrcuma en polvo
- Pizca de sal
- 2-3 cucharadas de aceite
- Agua: lo suficiente para que la masa se pegue

Pan de mijo

Bhakri

• ½ kg de harina Jawar o Bajra (harina de mijo)
• Agua: debe haber suficiente para que la masa esté suave, ni demasiado seca ni demasiado húmeda, pero que se pueda amasar.
• ½ cucharadita de sal

1. Mezcle la harina y la sal.
2. Hacer un pozo en medio de la mezcla seca y agregar agua poco a poco, mezclándola con las manos.
3. Amasar la masa hasta que quede suave.
4. Haga bolas del tamaño de una pelota de golf haciendo rodar la masa entre sus palmas.
5. Aplana una bola entre tus palmas y luego sumérgela en harina.
6. Palmee este círculo aún más plano girándolo alrededor mientras aprieta entre sus palmas y dedos.
7. Ponlo en la tabla y dale forma circular como chapatti pero con las manos no con un rodillo.
8. Coloque Bhakri en la sartén caliente. Rocíe agua sobre él y extiéndalo por un lado del bhakri.
9. Coloque el bhakri en la sartén con el lado cubierto de agua hacia arriba. Cocine por 10-15 segundos y luego voltee el bhakri. Hornee el lado

del agua del bhakri hasta que se dore.

10.   Retire el bhakri y coloque el lado superior. directamente sobre la llama abierta. Cuando se infla o se dore, está listo.

•   Nota: al hacer bhakri, debe trabajar muy rápido, ya que se seca rápidamente y luego la masa se rompe.

Pan de Verduras

Parathas

- 1 taza de verdura rallada (puede ser cualquier tipo de verdura como zanahoria, calabaza, papa, repollo, coliflor, rábano, espinaca, tomate, cilantro, hoja de fenogreco, vegetales mixtos, etc.)
- 1 taza de harina de trigo
- 1 taza de harina de mung dal
- 2 cucharaditas de jengibre rallado
- 5-6 hojas de curry
- 1/2 cucharadita de semillas de comino
- 1 cucharadita de cilantro en polvo
- 2 cucharadas de aceite
- Agua

1. Agregue verduras ralladas al trigo y la harina mung dal
2. Agregue comino, sal y cilantro en polvo.
3. Agregue jengibre y hojas de curry ralladas.
4. Agrega aceite y agua.
5. Amasar hasta que la masa esté suave y tersa y luego dejar reposar durante 10 minutos.
6. Extienda las bolas de masa en forma circular o triangular delgada.

Pan Relleno de Vegetales

Paratha

- 2 tazas de puré de verduras cocidas como zanahoria, calabaza, papa, espinaca, tomate, etc. o una combinación. También se pueden agregar lentejas cocidas.
- 1 taza de harina de trigo
- 1 taza de harina de mung dal, o harina de garbanzo, etc.
- 1/2 cucharadita de mostaza sds
- 1/2 cucharadita de semillas de comino
- 1/2 cucharadita de cilantro pdr
- 1/2 cucharadita de jengibre rallado
- 7-8 hojas de curry
- Pizca de asafétida
- 2-3 cucharadas de aceite
- Azucar (opcional)
- Sal al gusto

1. Prepare la masa de trigo y harina de mung dal agregando una cucharadita de aceite y suficiente agua para hacer una masa firme.
2. Caliente una cucharadita de aceite, luego agregue las semillas de mostaza. Cuando revienten agregue el jengibre, el comino, el cilantro, asafétida, las hojas de curry y el azúcar.
3. Agregue el puré de verduras y mezcle.
4. Enrolle la mezcla de verduras en bolas y

colóquelas en el medio de una bola de masa. Pellizca la masa alrededor de la mezcla.

5.   Enrolle con cuidado la masa en forma circular o triangular.

6.   Cocine en un tawa o sartén con un poco de aceite durante unos minutos por cada lado.

Pan Relleno De Zanahoria

Gajjar Parathas

- 1 taza de harina de trigo
- 2 zanahorias grandes - rallado
- Sal al gusto
- Azúcar al gusto
- 1 cucharadita de aceite, más una más para la masa
- $\frac{1}{2}$ cucharadita de semillas de comino
- 1 cucharadita de jengibre - rallado
- Hojas de cilantro picadas
- 1 cucharadita de jugo de limón

1. Caliente el aceite en una sartén. Agregue semillas de comino y luego agregue jengibre, zanahorias y sal. Mezclar y freír por 3-4 minutos hasta que esté cocido. Fresco. Agrega el jugo de limón.
2. Prepare la masa mezclando harina de trigo con una cucharadita de aceite y suficiente agua para hacer una masa firme.
3. Enrolle un poco de la mezcla de zanahoria en una bola pequeña y colóquela en el medio de una bola de masa. Pellizca la masa alrededor de la mezcla.
4. Enrolle con cuidado la masa en forma circular o triangular.
5. Cocine en un tawa o sartén con un poco de

aceite durante unos minutos por cada lado.

Pan Relleno De Patatas

Batata Paratha

- 2 tazas de puré de papa
- 1 taza de harina de trigo
- 1 taza de harina de mung dal, o harina de garbanzo, etc.
- 1/2 cucharadita de mostaza sds
- 1/2 cucharadita de semillas de comino
- 1/2 cucharadita de cilantro pdr
- 1/2 cucharadita de jengibre rallado
- 7-8 hojas de curry
- pizca de asafétida
- 2-3 cucharadas de aceite
- Azucar (opcional)
- Sal al gusto
- 1 cucharadita de jugo de limón

1. Prepare la masa de trigo y harina de mung dal agregando una cucharadita de aceite y suficiente agua para hacer una masa firme.
2. Caliente una cucharadita de aceite, luego agregue las semillas de mostaza. Cuando revienten agregue el jengibre, el comino, el cilantro, asafétida, las hojas de curry y el azúcar.
3. Agregue el puré de papas y mezcle. Fresco. Agrega jugo de limón.
4. Enrolle la mezcla de papa en bolas y

colóquelas en el medio de una bola de masa. Pellizca la masa alrededor de la mezcla.

5.   Enrolle con cuidado la masa en forma circular o triangular.

6.   Cocine en un tawa o sartén con un poco de aceite durante unos minutos por cada lado.

Pan Dulce / Chapati

- ½ taza de mung dal (lavado) o garbanzo dal (chana dal)
- ½ taza de azúcar moreno / crudo o azúcar morena o una mezcla de mitad de azúcar blanca y mitad de azúcar morena
- 4 pizcas de cardamomo en polvo Opcional: coco, nuez moscada o cacao en polvo

1.	Hervir el mung dal en una taza de agua durante 10 minutos o hasta que esté cocido.
2.	Continuar cocinando hasta que se haya evaporado toda el agua (5-10 minutos). Agrega el azúcar y continúa cocinando hasta que espese. La mezcla quedará muy espesa como para untar. Fresco.
3.	Agrega cardamomo o cualquier otro ingrediente.

Poli - un pan
- 1 taza de harina de trigo
- 1 cucharadita de aceite
- Agua

1.	Mezclar ambos ingredientes.
2.	Agrega agua para hacer una masa. Agrega otra cucharadita de aceite y amásala en la masa. Dejar actuar al menos una hora o más (2 horas)

para que la masa se vuelva más elástica.

3.   Haga bolas de 1 pulgada de Puran / relleno y colóquelas en bolas de masa de 1 pulgada aplanando la masa. Pellizcola masa alrededor del relleno.

4.   Aplana la masa en rodajas de $\frac{1}{2}$ cm de grosor.

5.   Cocine en una sartén caliente con un poco de ghee.

6.   Sirve con más ghee.

Pan plano de trigo integral

Chapatti

- 1 taza de harina de trigo
- 3 cucharaditas de aceite
- Pizca de sal
- 1/3 taza de agua: es posible que deba agregar un poco más o menos

1. Mezcle la harina y la sal.
2. Hacer un pozo en el centro y agregar el aceite y el agua. Mezclar y luego amasar durante 5 minutos hasta que la masa esté suave y lisa. Si hay tiempo deja la masa por 20-30 minutos.
3. Haga bolas de masa de 1 pulgada.
4. Tome una bola, sumérjala en un poco más de harina de trigo y aplaste la bola entre las palmas.
5. Estirar con un rodillo.
6. Coloque el chapatti enrollado en la placa caliente / sartén y ase el primer lado durante diez segundos.
7. Revuelva y ase el otro lado hasta que aparezcan manchas marrones.
8. Retírelo de la sartén y colóquelo en la llama abierta del quemador del primer lado (el lado menos cocido) Debería hincharse debido al rápido calentamiento y liberación de vapor del agua en la masa que queda atrapado en el chapatti .)
9. Una vez que se haya inflado, retírelo del

fuego y colóquelo en un recipiente forrado con una toalla. Cubrir con la toalla para mantener el calor. La toalla evitará la
Los chapatis se mojan por su propia evaporación o se secan por el aire.

Lightning Source UK Ltd.
Milton Keynes UK
UKHW020944290421
382826UK00001B/54